衣服 帯

帯をむすびます。

● 一課　　　　　　　　四－1－絵

いふく

● 一課　　　　　　　　四－2－絵

おび

花　束　けい光灯

はなたば

けいこうとう

働 く

お母さんは本屋で働いている。

はたらく

置 く

おく

包　む　浴びる

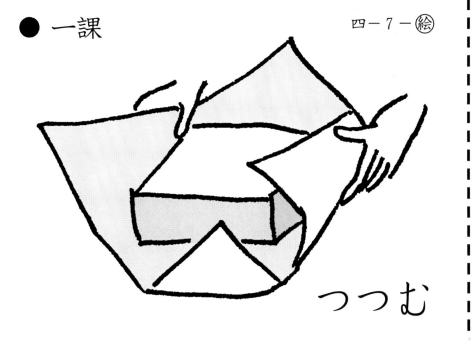

つつむ

あびる

昨　夜　未　来

きのうの　ばん

さくや

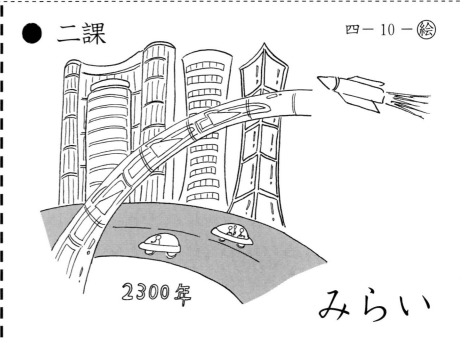

みらい

老 人 孫

ろうじん

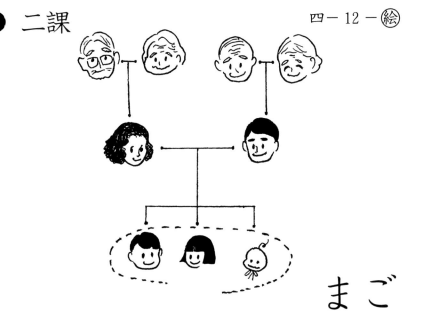

まご

初めて 選 挙

孫が初めて歩きました。

● 二課 四－13－絵

はじめて

● 二課 四－14－絵

せんきょ

投 票　氏 名

とうひょう

しめい

労働　付録

「労働」は「働く」という意味です。

● 二課　　　　　　　　　四 − 17 − ⑱

ろうどう

● 二課　　　　　　　　　四 − 18 − ⑱

ふろく

改札口 両 側

道の両側にバス停がある。

かいさつぐち

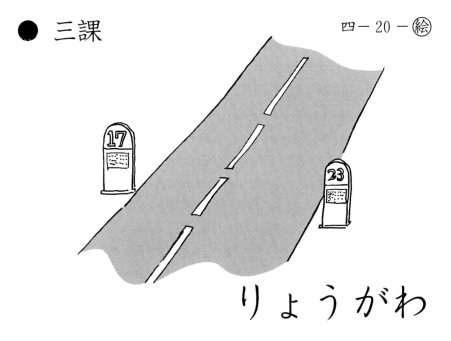

りょうがわ

けい察官　便利

コンピューターは便利だ。

けいさつかん

べんり

不便

手で書くのは不便だ。

ふべん

静か

今、ここは静かです。

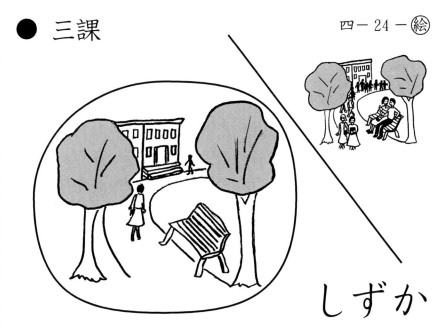

しずか

借りる　建てる

図書館で本を借りる。

かりる

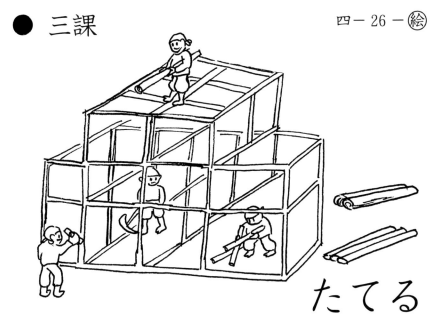

たてる

倉 庫 積 む

荷物を積む。

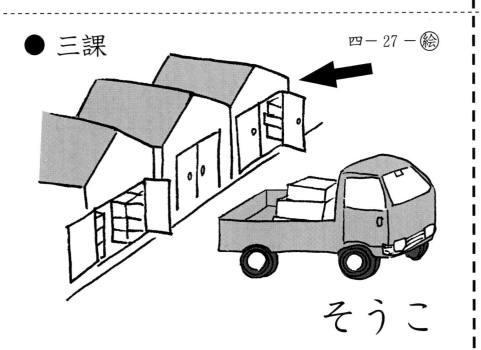

そうこ

つむ

笑 う　泣 く

わらう

なく

愛する　願う

あいする

ねがう

希望　勇気

ぼくのしょう来の希望は、うちゅう飛行士になることだ。

● 四課　　　　　　　　四－33－絵

きぼう

● 四課　　　　　　　　四－34－絵

ゆうき

給食　好き

きゅうしょく

すき

残 す　栄 養

残さないで食べましょう。

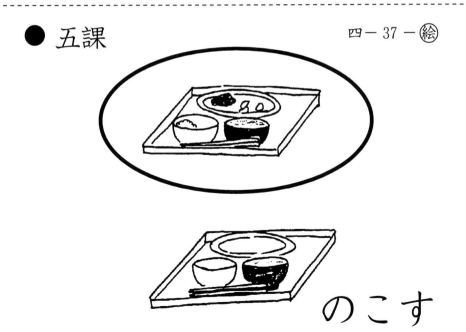

のこす

えいよう

血管　熱

熱があります。

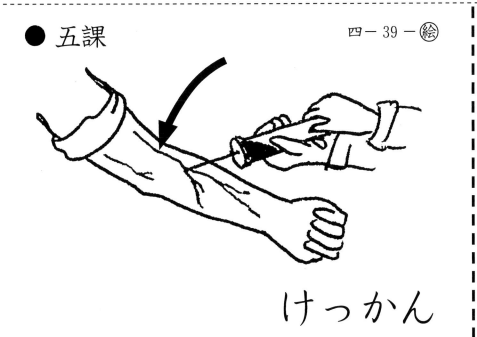

けっかん

ねつ

治 る | 健 康

病気が治りました。

健康になりました。

四ー41ー絵

● 五課

なおる

四ー42ー絵

● 五課

けんこう

焼く

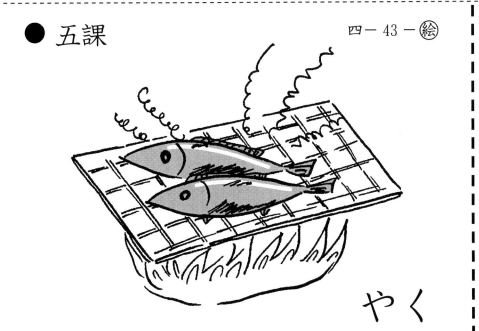

やく

塩

しお

ご　飯　野　菜

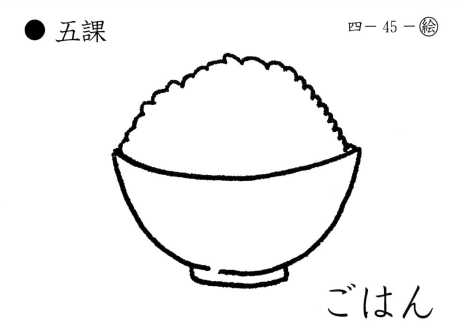

ごはん

やさい

材 料

カレーの材料は何ですか。

● 五課 四－47－絵

ざいりょう

● 六課 四－48－絵

がっしょう

学芸会　卒　業

卒業式はいつですか。

がくげいかい

そつぎょう

開校記念日　別れる

開校記念日の校長先生のスピーチ

● 六課　四－51－絵

かいこうきねんび

● 六課　四－52－絵

わかれる

祝 う

みんなで卒業を祝います。

いわう

旗

はた

順 番 号 令

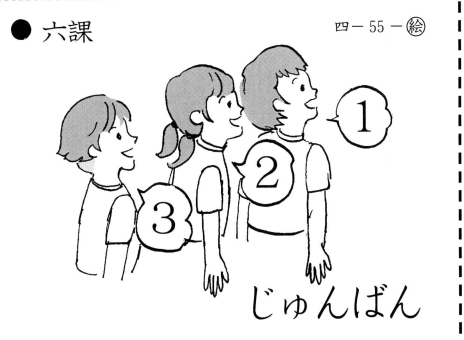

じゅんばん

ごうれい

特 に

動物はみんな好きですが、特にねこが好きです。

とくに

参 加

児童会に参加する。

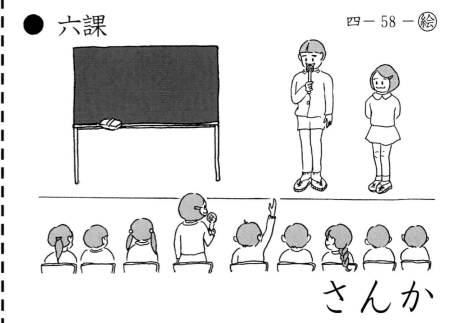

さんか

放課後　約　束

いっしょに遊ぶ約束をする。

ほうかご

やくそく

必 ず 生 徒

約束の時間を必ず守ろう。

かならず

せいと

欠 席

田中君はかぜで欠席です。

● 七課　　　　　　　　　　四－63－絵

けっせき

連らく帳

連らく帳に書いてわたす。

● 七課　　　　　　　　　　四－64－絵

れんらくちょう

一輪車　児童会

いちりんしゃ

じどうかい

伝える

欠席の友だちに伝える。

つたえる

道　徳

道徳の時間に「お年寄りを大切に」と習いました。

どうとく

司 会

会長が司会をする。

しかい

副会長

副会長は会長を手伝う。

ふくかいちょう

仲良し

三人は仲良しです。

なかよし

目　的

やせる目的で毎日走っています。

もくてき

目 標

目標は千メートル泳ぐことです。

もくひょう

努 力

努力したので、漢字のテストで百点がとれた。

どりょく

続ける

毎日ジョギングを続けている。

つづける

エ　夫

工夫してボールを取った。

くふう

協　力

みんなで協力して作ろう。

きょうりょく

完　成

ロボットが完成した。

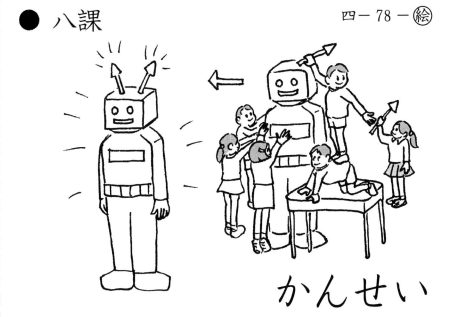

かんせい

失 敗 ｜ 成 功

とべない。また失敗しちゃった。 ｜ とべた！成功した。

● 八課 　　　　　　　　　　四－79－絵

しっぱい

● 八課 　　　　　　　　　　四－80－絵

せいこう

反　省

勉強しなかったから、テストができなかったんだと反省している。

はんせい

競そう

だれが一番はやいか、競そうだよ。

きょうそう

結果

競そうの結果、ゆうこちゃんが一番はやかった。

けっか

覚える

漢字は何度も書いて覚えよう。

目標＝もくひょう
目標＝もくひょう
目標＝もくひょう

おぼえる

無理

もう無理です。走れない。

● 八課

むり

訓

「山」の訓読みは「やま」です。

● 九課

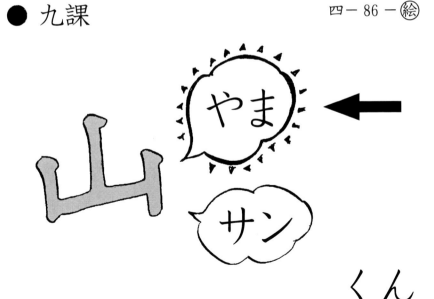

くん

清 書　辞 典

文を清書する。

辞典で調べよう。

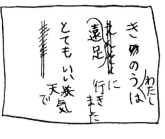

せいしょ

じてん

要 点

話し合いの要点をまとめよう。

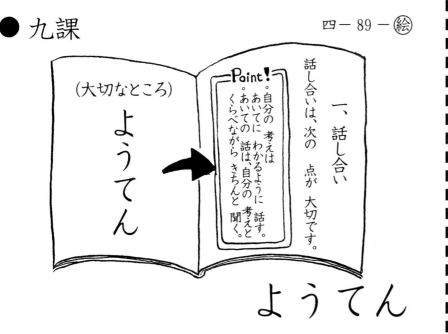

（大切なところ）

ようてん

Point!
・自分の 考えは あいてに わかるように 話す。
・あいての 話は、自分の 考えと くらべながら きちんと 聞く。

一、話し合い

話し合いは、次の 点が 大切です。

ようてん

文 末

文のおわりを「文末」といいます。

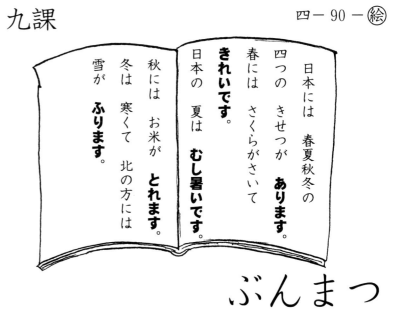

日本には　春夏秋冬の

四つの きせつが **あります**。

春には　さくらがさいて

きれいです。

日本の　夏は　**むし暑いです**。

秋には　お米が　**とれます**。

冬は　寒くて　北の方には

雪が　**ふります**。

ぶんまつ

説　明

先生は「さんずい」について説明しています。

● 九課　　　　　　　　　　　　四－91－絵

せつめい

例

動物って何？例をあげてください。

● 九課　　　　　　　　　　　　四－92－絵

れい

英　語

「おはよう」は英語で何ですか。

えいご

関　心

父は星に関心がある。

かんしん

試 験 　 答 案

試験は 9 時から始まります。

しけん

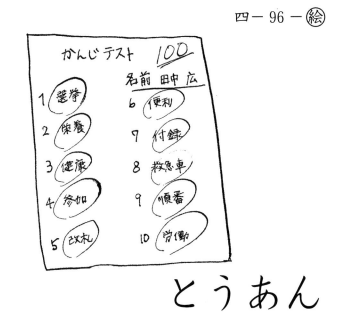

とうあん

億

日本の人口は 1 億 2000 万人ぐらいです。

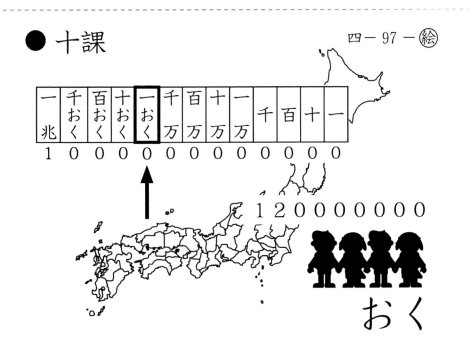

120000000

おく

兆

一兆は一億の 10000 倍です。

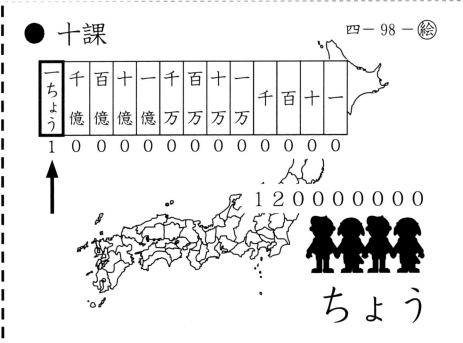

120000000

ちょう

以 上

身長が120㎝以上になった。

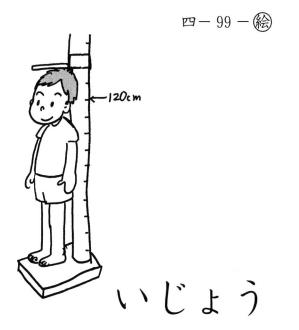

いじょう

直 径

直径3㎝の円

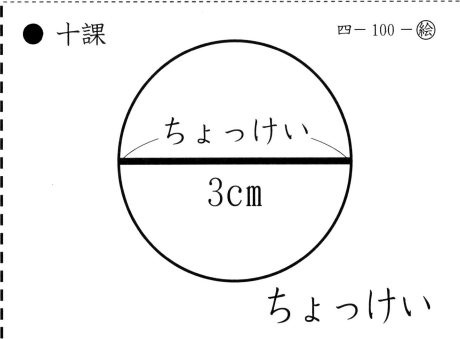

ちょっけい

ちょっけい

辺の長さをはかろう。

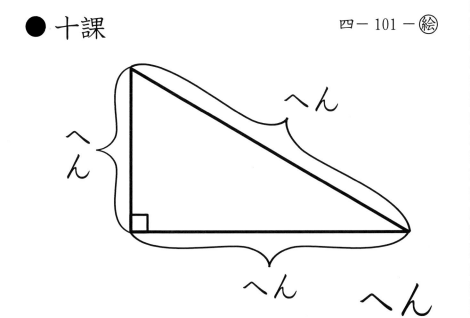

へん

へん

へん

へん

二人の身長の差は 10㎝ です。

さ

分度器

分度器で角度をはかる。

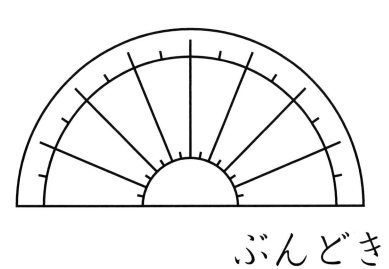

ぶんどき

量

水の量をはかる。

りょう

りょう

単 位

いろいろな単位がある。

たんい

折れ線

12月の温度の折れ線グラフ

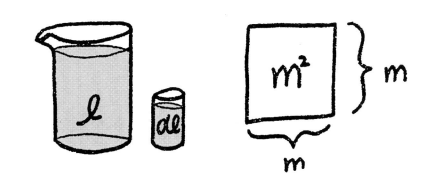

おれせん

求める

あ、い、う、をたした角度を求める。

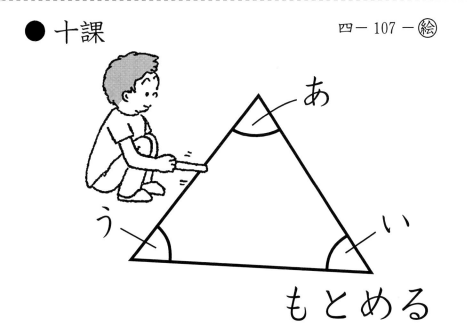

もとめる

自　然

自然の中の動物

しぜん

気 候　季 節

世界の気候

日本には四つの季節がある。

きこう

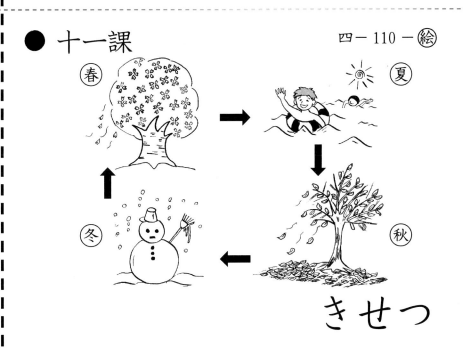

きせつ

景 色　低 い

窓から見える景色。

右のビルは低いです。

けしき

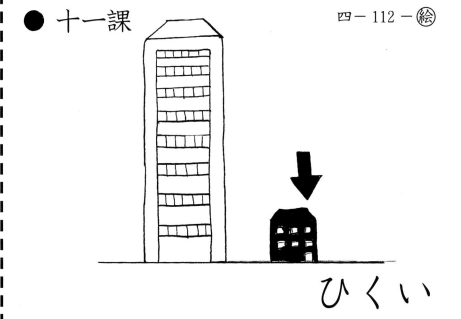

ひくい

冷たい

氷は冷たい！

つめたい

浅 い

あさい

飛 ぶ

鳥が三羽飛んでいる。

とぶ

海 底

海底にはいろいろな魚がいる。

かいてい

最　高　　変わる

今日の最高気温は 25℃です。　　さなぎがちょうに変わりました。

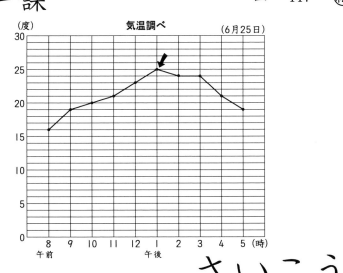

さいこう

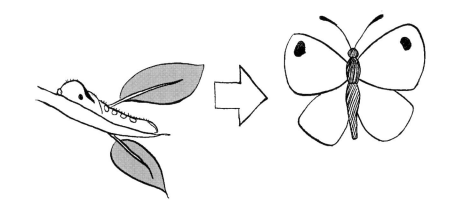

かわる

巣

鳥の巣・ありの巣

す

望遠鏡

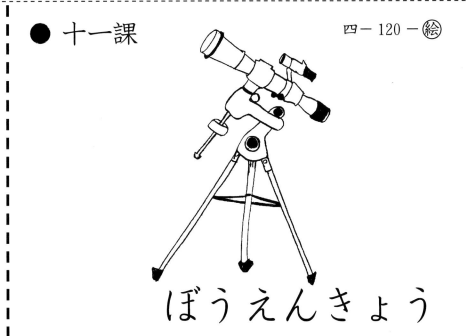

ぼうえんきょう

固 体　群 れ

氷は固体です。

こたい

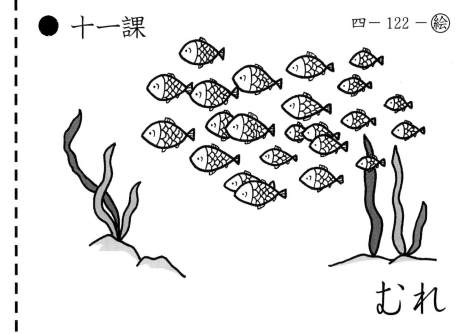

むれ

牧　場

牧場で牛を育てています。

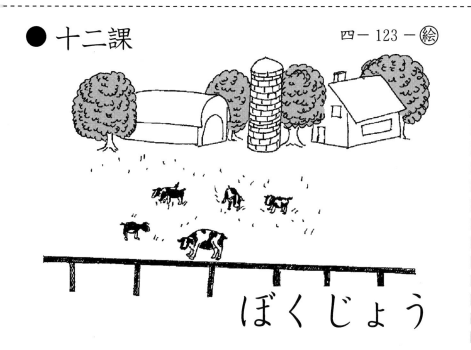

ぼくじょう

松

松の木

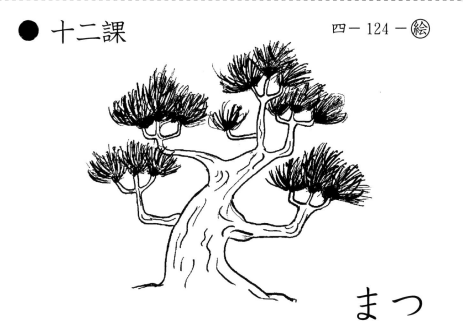

まつ

梅

梅の花

満 開

桜の花が満開です。

● 十二課

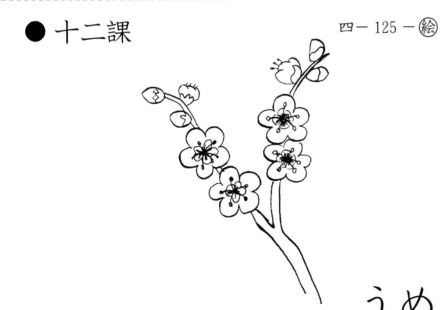

うめ

● 十二課

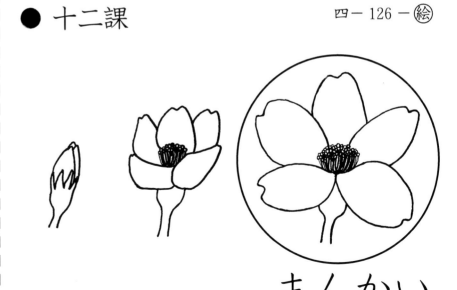

まんかい

種

ひまわりの種を植える。

芽

芽が出た。

● 十二課　　　　　　　　　　四－127－絵

たね

● 十二課　　　　　　　　　　四－128－絵

め

散 る

花が散っている。

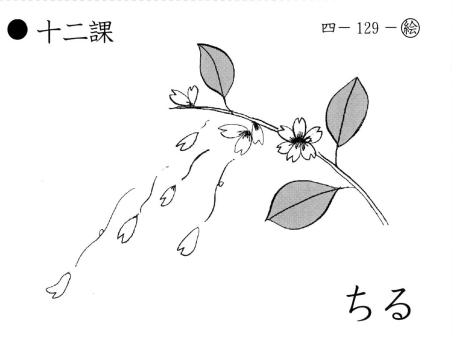

ちる

害 虫

害虫に葉っぱを食べられた。

がいちゅう

観 察 方 法

理科の宿題はあさがおの観察です。　こん虫さい集の方法を調べた。

● 十二課

かんさつ

● 十二課

ほうほう

照　る

日が照っています。

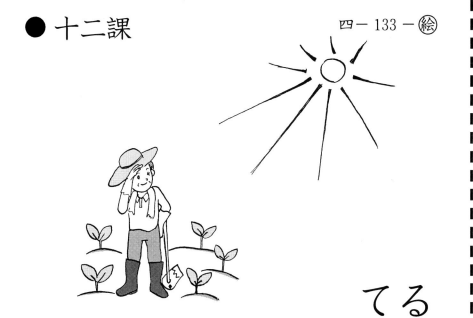

てる

戦　争

戦争は国と国との争いです。

せんそう

軍人

ナポレオンは軍人でした。

● 十三課　　　　　　　　四 — 135 — 絵

ぐんじん

兵隊

兵隊さんは戦争に行く。

● 十三課　　　　　　　　四 — 136 — 絵

へいたい

城

日本の 城は りっぱです。

しろ

博物館

博物館には 古い物が ある。

はくぶつかん

発　達

交通が発達して便利になった。

はったつ

国会議員

こっかいぎいん

市民

国に 対して けんりと ぎむを 持っている人
のことを 市民と いいます。

しみん

大臣

国会で大臣が話しています。

だいじん

大　陸

世界には六つの大陸がある。

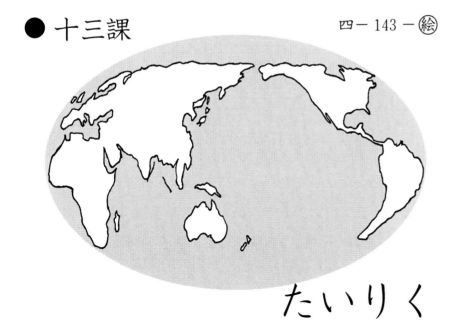

たいりく

南　極

南極にペンギンがいます。

なんきょく

一 周　機 械

グランドを一周しよう。

この機械は大きくて重い。

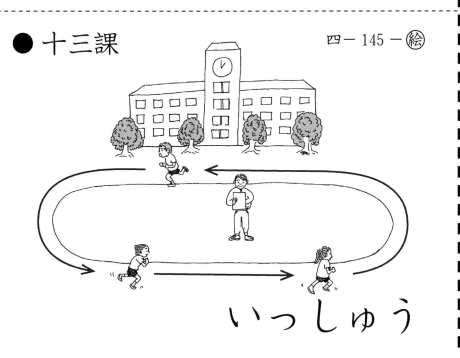

いっしゅう

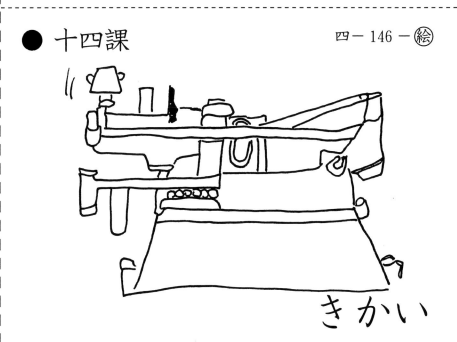

きかい

印刷　刷

印刷機を使う。

通　信

インターネットで通信します。

いんさつ

つうしん

公　共

電車やバスは公共の乗り物です。

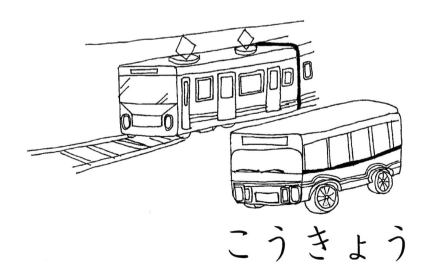

こうきょう

商店街

商店街にいろいろな店があります。

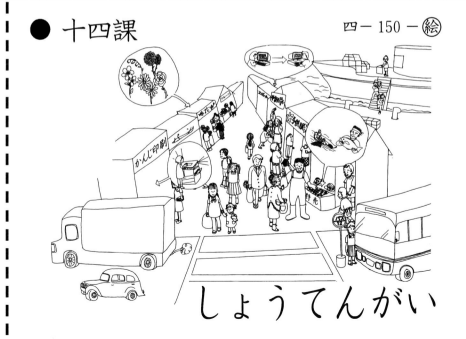

しょうてんがい

貨 物

船で貨物が運ばれてきました。

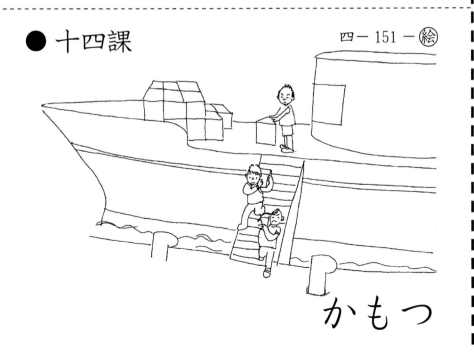

かもつ

種 類

花にはいろいろな種類がある。

しゅるい

産 業

工業、農業、商業など、いろいろな産業があります。

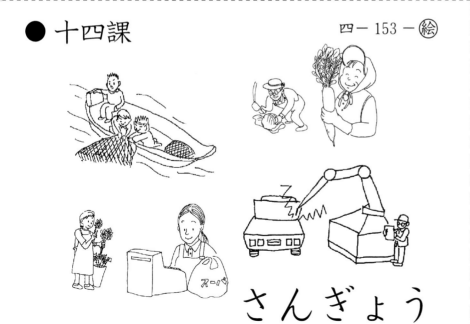

さんぎょう

漁 業

漁業は魚をとる仕事です。

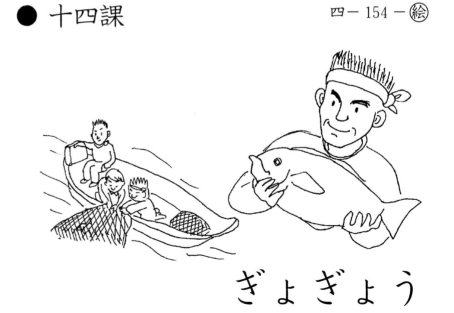

ぎょぎょう

宮城県 | 茨城県

みやぎけん

いばらきけん

栃木県　群馬県

とちぎけん

ぐんまけん

埼玉県

神奈川県

さいたまけん

かながわけん

香川県 | 徳島県

かがわけん

とくしまけん

愛媛県　新潟県

えひめけん

にいがたけん

富山県　福井県

とやまけん

ふくいけん

山梨県 岐阜県

やまなしけん

ぎふけん

静岡県 滋賀県

しずおかけん

しがけん

京都府 ｜ 大阪府

● 十五課 四－171－絵

きょうとふ

● 十五課 四－172－絵

おおさかふ

奈良県 岡山県

ならけん

おかやまけん

福岡県 佐賀県

ふくおかけん

さがけん

長崎県 | 熊本県

ながさきけん

くまもとけん

宮崎県 | 鹿児島県

みやざきけん

かごしまけん

沖縄県　各　地

日本の各地の天気

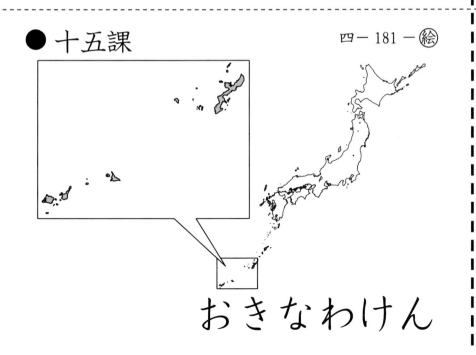

おきなわけん

かくち

郡

東京に郡が一つあります。東京都西多摩郡です。

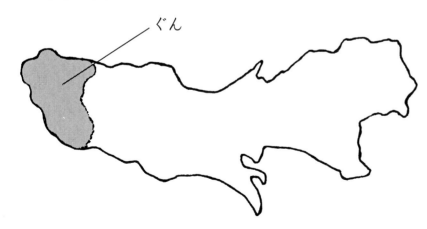

ぐん

ぐん